獻給木瑞兒・傑・班茲， 一位懂得聆聽的摯友
—— 康娜莉雅・史貝蔓

獻給我的家人，特別是約翰、莎拉及愛蜜莉，獻上我全部的愛！
—— 凱西・帕金森

我好擔心

文 康娜莉雅·史貝蔓 圖 凱西·帕金森 譯 蔬菜小姐

親子天下

有時候，我覺得好擔心。

當我不知道發生什麼事情時，

我會擔心。

如果有人打架，或是大吼大叫，

我也會擔心。

要做沒有做過的事情時，

我會擔心。

當我讓別人失望時，

我也會很擔心。

擔心是一種搖搖晃晃
又脆弱的感覺。

當我擔心時，肚子
就會不舒服。

我不喜歡
這種感覺。

我想要擔心離我
遠一點！

但ㄉㄢˋ是ㄕˋ大ㄉㄚˋ家ㄐㄧㄚ都ㄉㄡ有ㄧㄡˇ擔ㄉㄢ心ㄒㄧㄣ的˙ㄉㄜ時ㄕˊ候ㄏㄡˋ。

當我擔心時，

我可以告訴別人我的感覺。

有人會來幫助我，有人會聽我說話，
或是告訴我發生了什麼事。

當我擔心時，
有人抱著我能讓我安心。

我們分享美好的事物，

我可以畫圖，
或是說一些讓我開心的故事。

我們可以聽音樂或唱歌，

這些都能讓我的心情變好。

我可以跑一跑、 跳一跳，
或是動動身體跳支舞。

活動身體的感覺很好，
在戶外的感覺也很棒！

過了一會兒，

搖搖晃晃的感覺消失了，

我覺得好多了，

開懷大笑讓我感到快樂。

下次當我感到擔心時，

我知道這感覺不會停留太久。

當我擔心時，我知道該怎麼做！

Sometimes I feel worried.

I feel worried when I'm not sure what's happening.

If someone fights or yells, I feel worried.

Sometimes when I am going to do something I've never done before, I feel worried.

And I feel worried if someone is upset with me.

Worry is a wobbly, weak feeling.

When I feel worried, my tummy might hurt.

I don't like feeling worried.

I want the worry to go away!

But everyone feels worried sometimes.

When I feel worried, I can tell someone
I'm worried.

Someone helps me with my worry.
Someone listens to me or explains
what's happening.

Someone holds me.
It helps to have someone hold me.

We talk about good things.

I can make a picture or tell a story about
things I like that make me happy.

We can listen to music or sing.
Music and singing help me feel better.

I can run and jump and dance.

Moving my body feels good!
It feels good, too, to be outside.

After a while, the weak, wobbly feeling goes away and I feel better. I laugh. Laughing helps me feel happy.

When I feel worried, I know I won't stay worried.

When I worried, I know what to do!

作者介紹

康娜莉雅・史貝蔓（Cornelia Maude Spelman）

康娜莉雅・史貝蔓童書作品豐富，主題環繞著兒童的情緒和社會發展，透過故事，把情緒發展主題和孩子們實際的生活經驗相結合。老師和家長們對她的作品給予這樣的評價：「非常細膩、溫和、撫慰人心，而且充滿同情和同理心。」 康娜莉雅是家庭與兒童專業諮商師，曾任教於研究所，也針對兒童與家庭的心理健康議題做過數百場的演說。她的子女皆已成年，她則與丈夫住在伊利諾州。她不但從事圖畫書創作，還擔任反槍械婦女團體的義工。

幼兒情緒教育，從專業精采的繪本入門！

楊俐容 台灣芯福里情緒教育推廣協會理事長

「孩子不會表達情緒、動不動就大哭大鬧」一直都是幼兒家長和老師最頭痛的問題。事實上，孩子也不喜歡自己哭哭鬧鬧，然而，情緒感受是與生俱來、不需學習的反應，但負向情緒來襲時，要好好表達並且適當調節，卻得透過周遭大人溫暖的理解、有效的安撫以及有計畫的教導，才能慢慢發展出來。

從呱呱墮地那一刻起，孩子的生活就是由一連串的事件，以及這些事件所引發的情緒感受所組成。剛出生的寶寶情緒只能粗略的分為「愉快的」和「不愉快的」兩大類，隨著生活經驗的豐富，情緒也開始分化為更多類別。到了一歲半，寶寶已擁有相當豐富的情緒感受了，而學前階段的幼兒，隨著行動範圍與生活圈的擴大，情緒也越來越多變與複雜。譬如說，心愛的玩具壞了、小朋友不跟他玩，孩子自然會因失落而感到難過；又如，積木城堡一直蓋不好、玩得正開心遊戲時間卻要結束了，孩子又會因為目標受阻而覺得生氣。此外，害怕、擔心、忌妒，以及開心、舒服、得意……等愉快或不愉快的感受，也都是幼兒生活中常見的情緒。

情緒越來越多元是必然且可喜的發展趨勢，但要能了解自己與他人的情緒，進而掌握自己的情緒、與他人和善相處，卻需要刻意的教導與學習。因此，家長和老師必須幫助幼兒了解自己和別人的情緒感受是什麼，鼓勵幼兒適切的表達自己，以及適時的關懷別人。

幼兒階段是開始系統化學習情緒的最佳時期，孩子需要學會與生活經驗、情緒感受互相呼應的詞彙，讓語言跟上情緒的腳步，才能逐漸擁有覺察、辨識與為情緒命名的能力，也才能善用正向情緒、轉化負向情緒，將生活的多采多姿化為成長的養分。

不過，情緒無影無形、難以捉摸與界定，必須藉助具體的生活事件與生動的插畫圖像，以幼兒熟悉的故事模式來幫助他們理解當下的情緒感受與事件的來龍去脈。因此，具有理論基礎並能完整呈現情緒元素的精采繪本，就成為情緒教育的最佳媒介，這也是我要大力推薦「我的感覺」這套幼兒情緒教育入門書的原因。

作者選擇了幼兒生活中最常見的負向情緒：難過、害怕、生氣、嫉妒、擔心做為主題，並以幼兒能夠理解的淺語，說出幼兒不易覺察的情緒元素，包括身體線索、心理感受，以及引發這些情緒的生活事件等。讓幼兒在聆聽書中主角故事的同時產生情緒理解，知道原來別人也會這樣，有這些情緒是很正常的。而反覆出現的情緒詞彙，也讓幼兒逐漸熟悉並能運用這些詞彙來表達自己的情緒；一旦幼兒能夠使用語言來表達情緒，他們就擁有了一項效能強大的工具，可以和別人溝通彼此的情緒。

當幼兒能夠自在接納情緒感受並學會適切表達之後，作者又帶著幼兒與書中主角一起發現心裡有這些感受時，可以用什麼方法來調節情緒，讓自己覺得好受一點，甚至進一步探索解決問題的可能性。從理解情緒、管理情緒到解決問題，完整呈現情緒教育的三大步驟。

除了上述幾個基本的負向情緒，作者另外挑了三個幼兒生活中常見的人際情緒課題，包括處理分離焦慮的《我想念你》、提升自信自尊的《喜歡我自己》，以及促進同理關懷的《我會關心別人》。的確，情緒不只發生在自我之內，也發生在人我之間；自我EQ是基礎，人際EQ則更進一步的促成孩子情緒成熟，讓孩子的人際關係更上層樓，也因此更能享受和其他小朋友一起遊戲學習的校園生活。所有這一切，都為幼兒未來進入小學的適應，奠定了堅實的情緒基礎。

情緒成熟需要時間的醞釀，但沒有耕耘就不會有收穫；「我的感覺」為家長和老師準備了豐富的素材，但要成為孩子的情緒滋養，還需要大人的參與和陪伴。關切幼兒情緒教育的大人，可以善用書中文字的力量、具象的插圖，以及隨書提供的情緒遊戲卡，和孩子一起玩情緒，讓您的幼兒情緒教育，從這套專業精采的繪本入門！

衍伸討論

讓擔心離我遠一點！

周育如 清華大學幼教系副教授

「擔心」是「我的感覺」系列中，性質比較不同的主題。雖然和其他本在格式及寫作方式上非常類似，但其實「擔心」這種情緒，性質非常不同，例如高興、生氣、難過、害怕等，都屬於孩子常出現的基本情緒，孩子容易體會，大人也容易從孩子的外顯行為看出端倪；但「擔心」卻是非常內隱的情緒，持續時間可能很長，也不容易立刻從孩子的行為中察覺，甚至可能被孩子表現出來的其他情緒所掩蓋，父母在處理時要格外敏銳才行。

擔心是一隻隱形怪獸

「擔心」指的是孩子因過去經驗或對未來不確定性的預期所導致的負向情感，例如曾遇過可怕、挫折或壓力等情境，進而把這些經驗不當的連結到自己身上所引發的身心症狀。這些情境可能是孩子的真實經歷，也可能是接觸了生活周遭各種媒介而來的。例如孩子目睹父母爭吵，開始擔心父母會離開；或是看到電視上有小孩被綁架的消息，從此陷入焦慮中，整天覺得不安全；有時候，孩子甚至會自己想像一些不安的情境，如果沒有適當開導，孩子可能會長時間都抑鬱不安。

還有一種擔心是因為對未來不確定而引起的，尤其是對自己沒有自信、經常被責難或被過度期待的孩子，很容易在面臨未知情況或挑戰時，出現焦慮反應或試圖逃避。這些情緒可能完全壓抑在孩子心裡不展現出來，之後轉以發怒、莫名哭泣、咬手指甲、尿床等不同的形式顯現。

多做一點，讓擔心遠一點

故事中所提的各種轉移和舒緩的方式的確可以處理孩子的擔心，例如找朋友玩、試著哈哈大笑，或做一些有趣的事，都可以暫時緩解孩子的情緒。但要帶領孩子走出擔心，要做的事其實要更多一些。

1. 養成對話習慣

平常就要養成與孩子對話的習慣，讓孩子能自然的把想法和感受講給父母聽，很多的不安和擔心在這樣的對話中便可以得到理解與安慰。

2. 留意情緒常態

平常多留意孩子情緒表現的「常態」，當察覺孩子出現異於平常的反應模式時，就不要只是處理當下的情緒，應該等孩子平靜一些願意談的時候，好好聊聊是不是有什麼背後的原因在困擾他。

3. 必要時就醫

有些孩子在遇到預期外的環境改變或挫折時，會出現異常的舉止或過度的焦慮不安，如果這種情況持續發生，讓孩子長期處在負面情緒中無法自拔，大人可能要留意孩子是否有特殊的生理或心智缺陷，必要時建議就醫診斷。

給父母和老師的叮嚀

每個人都有擔心或焦慮的時候，孩子也是。隨著年齡增長，擔心的事情也有所不同，但某種方面來說，我們都擔憂著同樣的事情，像是：未來會發生什麼事？有人會幫助我嗎？我能適應新的環境、新的人事物嗎？我可以這樣做嗎？我能有好的表現嗎？這樣做會讓我受傷嗎？

孩子會產生這些焦慮是可預期的。但是，身為大人的我們還有其他的事情要擔心。科技的進步雖然帶來了方便，發達的資訊傳遞卻也令人擔憂，例如人身安全、經濟蕭條、難民問題以及恐怖攻擊。孩子不該承受這些負面訊息帶來的憂慮，大人應該盡可能的讓孩子遠離這類消息。

那麼，我們該如何幫助孩子面對焦慮呢？ 不妨從自己開始吧。大人應該要有一套自我舒緩的方法，並傳授給孩子，教導他們如何安撫自己。舒緩的方式有很多，有人會跟讓人安心的朋友在一起；有人會哈哈大笑把焦慮趕跑；有人選擇跟寵物玩耍；有人會動動身體、活動筋骨；有人則會走進大自然；與人聊聊天、聽聽別人說話；或是聽個音樂、唱首歌、看本書、做點勞作、欣賞有趣的電影或是電視節目。每個人都有找回正面情緒的方法。

雖然一天24小時都有令人擔憂的事情，但是每天也都會有助人為善、撫慰人心、努力不懈、正面迎戰的事情發生，我們可以養成注意生活周遭美好事物的習慣，藉著列出一些與自己相關的正向人事物，讓自己更茁壯。

當孩子感到焦慮時，大人可以向他們保證，我們了解他們的感受，並且會在他們身邊給予幫助，相信他們能夠處理每一個新的挑戰。最重要的是，我們可以向孩子示範如何在生活中使用平和的方式舒緩情緒。我們該做的事就是處理自己的焦慮，這樣孩子也就能跟著學習如何放鬆了。

—— **康娜莉雅・史貝蔓**

When I Feel Worried
by Cornelia Maude Spelman and illustrated by Kathy Parkinson

我的感覺系列 8

我好擔心

作者｜康娜莉雅・史貝蔓　繪者｜凱西・帕金森　譯者｜蔬菜小姐

責任編輯｜劉握瑜　美術設計｜林家蓁　行銷企劃｜高嘉吟

天下雜誌群創辦人｜殷允芃　董事長兼執行長｜何琦瑜
媒體暨產品事業群
總經理｜游玉雪　副總經理｜林彥傑　總編輯｜林欣靜
行銷總監｜林育菁　副總監｜蔡忠琦　版權主任｜何晨瑋、黃微真

出版者｜親子天下股份有限公司
地址｜台北市 104 建國北路一段 96 號 4 樓
電話｜（02）2509-2800　傳真｜（02）2509-2462　網址｜www.parenting.com.tw
讀者服務專線｜（02）2662-0332 週一～週五：09:00~17:30
讀者服務傳真｜（02）2662-6048　客服信箱｜parenting@cw.com.tw
法律顧問｜台英國際商務法律事務所・羅明通律師
製版印刷｜中原造像股份有限公司
總經銷｜大和圖書有限公司　電話：（02）8990-2588

出版日期｜ 2018 年 2 月第一版第一次印行
2024 年 6 月第一版第十二次印行
定 價｜ 260 元　書 號｜ BKKP0213P　ISBN ｜ 978-957-9095-19-8（精裝）